100

trucos para un
embarazo feliz

100

trucos para un
embarazo feliz

Alison Mackonochie

DE ESTA EDICIÓN:
© 2005, Pearson Educación, S.A.
Ribera del Loira, 28
28042 Madrid
www.pearsoneducacion.com

ISBN: 84-205-4573-2

Traducido de: *100 tips to a Happy Pregnancy*
Copyright © MQ Publications Limited 2004
Copyright del texto © Alison Mackonochie 2004
Copyright de las ilustraciones © Elilzabeth Harbour 2004
ISBN: 1-84072-573-7

Coordinación editorial: Mónica Santos
Coordinación de Producción: José Antonio Clares
Diseño: Bet Ayer

*Este libro se ha concebido como una guía informativa y en ningún caso debe
usarse como sustituto de un diagnóstico o tratamiento médico. Ni el autor ni el
editor aceptan ningún tipo de responsabilidad por el daño, lesión o cualquier
otro perjuicio derivado del uso indebido de la información de este libro.*

Impreso en UK - Printed in the UK

Contenido

Introducción

Quedarse embarazada es uno de los acontecimientos más asombrosos y emocionantes que pueden sucederte, y también uno de los más temidos, pues sabes que tu vida va a cambiar para siempre y que te estás embarcando en uno de sus capítulos más felices e importantes: ser madre. Este libro, *100 trucos para un embarazo feliz*, ofrece una valiosa información práctica que te ayudará a aprovechar al máximo esta apasionante etapa.

Nueve meses es mucho tiempo, así que "Tener buen aspecto" es importante. Por ello, este capítulo te ofrece trucos para ojos hinchados, estrías e incluso maneras de seguir yendo a la moda para tener la mejor imagen al margen de lo avanzado de tu embarazo.

A medida que tu bebé crece tu cuerpo cambia y podrás experimentar algunos problemas físicos. "Soportar el embarazo" examina los problemas más habituales como las náuseas matinales, las agujetas y los antojos, y explica por qué suceden y qué se puede hacer para minimizarlos.

La dieta es realmente importante cuando estás embarazada. Todo lo que comes y bebes afecta a tu bebé. "Una alimentación saludable" ofrece consejos sobre qué alimentos y bebidas evitar y por qué, y cómo controlar el peso.

Una de las partes más entrañables del embarazo es la preparación de la habitación del bebé. "Preparando la llegada de tu bebé" te ofrece ideas para decorar su cuarto e ideas sobre los artículos que vas a necesitar.

La forma en que tú y tu pareja afrontáis el embarazo, marca una gran diferencia en vuestros sentimientos. Tenéis muchos retos por delante, desde la alteración hormonal hasta problemas financieros. Por esta razón, "Tu pareja y tú" es un capítulo importante.

Así que siéntate, pon los pies en alto y disfruta con los útiles consejos que encontrarás en este libro.

Tener buen aspecto

1

Calmante para los ojos

La retención de líquidos puede hacer que el contorno de los ojos se hinche y, además de hacerte parecer cansada, los párpados extremadamente hinchados pueden interferir en tu visión periférica. Para reducir la hinchazón y calmar la zona coloca discos de algodón empapados en olmo escocés o rodajas de pepino mientras permaneces echada durante al menos diez minutos. También te ayudará beber mucha agua y evitar ingerir demasiado sodio y cafeína.

2

Uñas bonitas

Durante el embarazo las uñas suelen crecer más y más fuertes, así que aprovecha y llévalas bien arregladas. No obstante, a veces los cambios hormonales hacen que puedan romperse. Si esto ocurriera, córtalas bastante y protégelas con unos guantes mientras realices las tareas de la casa. Asegúrate también de tomar vitaminas para que tus uñas estén sanas.

3

Disimula las manchas

Se cree que la hiperpigmentación (exceso de color en la piel) se produce como resultado del cambio hormonal en el noventa por ciento de las embarazadas. Pueden aparecer manchas irregulares o zonas oscurecidas como las marcas de nacimiento y los lunares. También se puede desarrollar una mancha de pigmentación en la cara en forma de mariposa conocida como *cloasma* o "mancha del embarazo", que será oscura en las pieles claras y clara en las pieles oscuras. Un maquillaje puede ayudar a disimular estas marcas y un protector solar evitará que oscurezcan.

A medida que el embarazo progresa, también se puede advertir una línea oscura en el centro del abdomen, que es donde el músculo recto abdominal se estira. No te preocupes por estos cambios en la piel, pues desaparecerán o se aminorarán una vez que tu bebé haya nacido.

4

El cuidado del cabello

Tu pelo puede verse afectado por los cambios hormonales, pudiendo parecer más grueso de lo normal, cayéndose en más cantidad o con un aspecto más fino. El pelo seco puede secarse aún más y el pelo graso puede parecer más graso pero, al margen de lo que suceda con tu pelo, lávalo con un champú suave. Si es seco, utiliza un buen acondicionador y evita emplear el secador u otros aparatos de calor, pues pueden dañar tu pelo ya debilitado. Evita también los tintes y los tratamientos químicos porque la reacción de tu pelo durante el embarazo es impredecible. Además, existe el temor de que los productos químicos penetren en tu flujo sanguíneo por medio del cuero cabelludo y dañen al bebé. Ningún estudio lo ha confirmado, pero el mejor consejo es pecar de cauteloso. Una vez más, las vitaminas para embarazadas son importantes, pues ayudarán a fortalecer las raíces del cabello.

5

Reduce las estrías

A medida que tu peso aumenta, la piel puede estirarse tanto que aparezcan estrías, que comienzan como finas líneas rojizas, normalmente en los pechos, el estómago y la parte superior de los muslos. Debido a que la piel se estira desde abajo, no se puede hacer mucho para prevenirlas. Las cremas antiestrías se venden en las droguerías y en las perfumerías, pero lo único que hacen es hidratar la piel y no pueden eliminarlas o evitar que aparezcan. Sin embargo, puedes reducirlas evitando engordar demasiado. Además, aunque las estrías nunca desaparecen por completo, con el tiempo se desvanecen hasta quedar en finas líneas plateadas que se notan mucho menos.

6

En forma

El ejercicio regular es importante durante el embarazo, pues te mantiene en forma y favorece la resistencia que, a la larga, te ayudará a soportar el embarazo y más adelante el parto. Si ya sigues una rutina de ejercicio, comprueba con tu médico si deberías cambiarla, pues en algunos casos es necesario modificar los movimientos más bruscos, y si hasta ahora no has tenido tiempo para realizar ejercicio, es hora de empezar. La Sociedad Española de Ginecología y Obstetricia (S.E.G.O.) previene en contra de comenzar con un programa de ejercicio aeróbico si previamente se ha sido sedentario, aunque sí se recomienda caminar rápido. También puedes buscar clases de natación para mujeres embarazadas ya que nadar es un ejercicio excelente debido a que el agua ayuda a soportar el peso y puedes tonificar los músculos sin forzarlos. Las clases de yoga, tanto antes del embarazo como después de él, son excelentes para liberar la tensión, aumentar la movilidad de las articulaciones y mejorar la circulación y la respiración. Al margen del ejercicio que decidas hacer, no olvides escuchar a tu cuerpo y parar si notas incomodidad o que te falta oxígeno.

Recuerda también que algunos tipos de ejercicio
no son adecuados durante el embarazo,
como la gimnasia enérgica, que requiere
un ejercicio intenso, y las actividades de
alto riesgo como montar a caballo o
esquiar, que podrían provocar un
daño físico.

Mantente fresca

Al circular mayor cantidad de sangre por el cuerpo y aumentar el ciclo metabólico, probablemente sudarás más de lo habitual, en especial al final del embarazo o cuando haga calor. Además, la sudoración puede hacer que te salgan erupciones en los lugares donde haya pliegues, como las axilas o las ingles. Evita llevar fibras sintéticas pues te harán sudar más y utiliza tejidos naturales como el algodón, que permite que tu piel respire y te mantendrá fresca. Elige ropa que no apriete y ropa interior lo más amplia posible. Tampoco olvides beber mucho líquido y ducharte frecuentemente con agua templada, no caliente.

8

Ojos secos

Puede que notes que tus ojos están más secos de lo normal o que sufres molestias al llevar lentes de contacto debido a un ligero edema corneal. Si te incomoda la sequedad, pide a tu médico que te recete gotas lubricantes que, no sólo aliviarán las molestias, sino que harán que tus ojos vuelvan a brillar.

9

Reaviva tu piel

Todo tipo de piel, ya sea grasa o seca, mejorará con una exfoliación que elimine las células muertas de su superficie. Este proceso desbloquea los poros y, en general, estimula la circulación. Utiliza cremas exfoliantes o una mascarilla cada pocos días. Después de exfoliarla, hidrata la piel seca para que conserve sus lubricantes naturales. Si tu piel es grasa, finaliza con un tonificador en lugar de crema hidratante.

10

Opta por lo más sencillo

Durante los primeros meses de embarazo probablemente puedas salir del paso con ropa normal amplia, quizá combinada con prendas de una talla mayor. Unos pocos atuendos básicos que puedas intercambiar te darán una gran variedad de modelos. Compra faldas y medias con cintura elástica, camisas amplias con botones para que puedas utilizarlas para amamantar al bebé una vez nacido, y algunas camisetas amplias de fibras naturales como el algodón. Utiliza ropa interior de algodón debido a su suavidad y poder de absorción (la braga bikini es la más cómoda porque se ajusta por debajo de la barriga). Más adelante, podrás comprar medias para embarazadas que darán sujeción a tus piernas y, a medida que tu barriga aumente de tamaño, probablemente tengas que comprar unas cuantas prendas de ropa pre-mamá. No obstante, elige también ropa que puedas combinar para que no tengas que comprar demasiada.

11

Un sistema de sujeción

Sin duda habrás advertido ciertos cambios en tus pechos quizá incluso antes de saber que estabas embarazada. Te dolerán los pezones y los pechos habrán crecido y pueden estar más sensibles, una sensibilidad que probablemente persistirá durante todo el embarazo. Los pechos aumentan de tamaño, sobre todo en el primer trimestre, por lo que es importante utilizar un buen sujetador desde el principio. Lo más indicado es acudir a una tienda especializada donde te midan y te proporcionen la talla correcta. Y no uses sujetadores con aro. A medida que tus senos continúen creciendo, tendrás que comprar sujetadores nuevos. Alrededor de la semana 36 deberías comprar un sujetador de lactancia si es que vas a amamantar. Una profesional con suficiente experiencia y destreza calculará qué tamaño y forma de pecho tendrás tras el parto. Hay dos tipos de sujetadores de lactancia: los que se abren al frente y dejan al descubierto sólo el área del pezón o los que se desabrochan y dejan al descubierto todo el pecho.

12

Zapatos nuevos

El calzado cómodo y con buena sujeción es una de las mejores inversiones que puedes hacer, pues tus pies deberán soportar todo el peso adicional que estás llevando, por lo que merece la pena cuidarlos bien. Compra siempre el calzado nuevo por la tarde ya que es cuando los pies están más cargados, lo que evitará que compres unos zapatos que resulten incómodos cuando se hinchen. Tómate tu tiempo para probarte distintos números y camina un poco con ellos durante unos minutos antes de comprarlos. Lo mejor es llevarlos de tacón bajo y que no inclinen todo tu peso hacia los dedos al caminar. Hacia el final del embarazo tus pies se agrandarán, así que compra un calzado lo suficientemente ancho o que sea la mitad más grande de lo normal.

13

Pon los pies en alto

Al final del embarazo los pies y los tobillos pueden hincharse, en especial cuando acaba el día, pudiendo empeorar con temperaturas elevadas y tras pasar de pie cierto tiempo. En el embarazo el cuerpo gana un mínimo de 6,5 litros de líquido, parte del cual se retiene alrededor de los pies. Aunque no puedes deshincharlos del todo, aliviarás la hinchazón sentándote con los pies elevados siempre que puedas. Llevar medias o calcetines de compresión y un calzado cómodo de tacón bajo también ayuda a aliviar las molestias. En la mayoría de los casos la hinchazón es una condición fisiológica normal del embarazo, pero deberías indicarlo en las revisiones médicas ya que puede ser un síntoma de *preeclampsia* o hipertensión arterial del embarazo.

14

Sin granos

Tu piel reacciona a los cambios hormonales provocados por el embarazo, así que puede que te salgan algunos granos o incluso acné que podrías padecer en cualquier etapa del embarazo aunque nunca antes lo hayas tenido. No cedas a la tentación de quitártelos porque sólo los empeorarás. Los limpiadores tópicos son el mejor tratamiento. Si crees que necesitas un producto más fuerte para tratar tu acné, consulta a tu médico, pero no tomes ninguna medicación recetada antes del embarazo porque podría contener componentes peligrosos para el bebé. Por desgracia, no hay forma de evitar que estos granos o acné aparezcan en el embarazo. No obstante, puede que te alivie el hecho de que una vez haya nacido el bebé tu piel probablemente se cure y vuelva a su estado original.

15

Cuida tu dentadura

Tus encías también pueden verse afectadas por el embarazo y es probable que sangren con más facilidad. Además pueden hincharse e inflamarse o estar más sensibles al tacto. Comienza ingiriendo una dieta sana y evita los dulces como las galletas. Masajéalas con el cepillo de dientes, ya que esto reduce la inflamación y la infección, y cepíllate los dientes al menos dos veces al día (tras el desayuno y antes de ir a la cama) utilizando seda dental para limpiar los espacios interdentales. Tu dentista puede realizar una limpieza bucal y comprobar si necesitas algún otro tratamiento dental, pero asegúrate de que sabe que estás embarazada antes de realizar cualquier prueba, incluyendo los rayos X.

16

Relájate antes de dormir

El insomnio es muy frecuente durante el embarazo, en especial durante el último trimestre, cuando resulta difícil encontrar una postura cómoda en la cama. Si tienes problemas para dormir, establece una rutina que te ayude a relajarte. Comienza lavándote bien la cara y el cuello y hazte también un masaje en las sienes. Después, toma un baño caliente y relajado y, una vez seca, hidrata todo tu cuerpo prestando especial atención a los pechos y el abdomen. Antes de acostarte, tómate un vaso de leche caliente, pues tu cuerpo liberará triptofano, un aminoácido natural que te ayuda a dormir. Si sigues estos pasos cada noche podrás relajarte y, una vez en la cama, deberías dormir mejor.

17

Cuida los detalles

Conservar el sentido del gusto cuando has de soportar todo lo que implica estar embarazada puede ser un reto, pero una cintura cada vez más ancha no significa que tengas que pasar los próximos nueve meses vistiéndote con camisas anchas y mallas. Aunque hay poco que puedas hacer para controlar la talla de tu ropa, puedes seleccionar estilos que mejorarán tu aspecto. La mayoría de las mujeres incluso están más guapas con una camiseta ceñida que acentúe el volumen de la barriga. Dedica unos instantes a probarte diferentes tipos de ropa para ver con cuál estás más guapa y recuerda que es preferible comprar ropa sencilla que pueda parecer más o menos formal con accesorios, en lugar de algo que sea tan llamativo que todo el mundo lo recuerde.

18

Sortijas y baratijas

Tus dedos podrían hincharse debido a la retención de líquidos, de modo que quizá te resulte difícil quitarte los anillos. Si esto ocurriera, sube el brazo por encima de la cabeza para que el líquido baje y entonces aplica un poco de lavavajillas líquido o crema de manos para ayudar a que el anillo se deslice. También puedes reducir la hinchazón colocando un par de cubitos de hielo sobre el dedo.

19

Un maquillaje reconstituyente

El hecho de que estés embarazada no significa que debas abandonar tu maquillaje habitual y optar por un aspecto totalmente natural, a no ser que sea eso lo que quieres, por supuesto. El maquillaje puede ser un verdadero estimulante moral en el embarazo, así que utilízalo como herramienta para sentirte guapa y con tu aspecto bajo control.

Soportar
el embarazo

20

Náuseas matinales

La expresión *náusea matinal* da lugar a engaño pues puedes sentirlas en cualquier momento del día, si bien la mayor parte de las mujeres las sufren a primera hora de la mañana. Su intensidad puede variar, desde ligeras sensaciones de náusea hasta el vómito real. Las náuseas matinales pueden comenzar desde la quinta semana y suelen finalizar alrededor de la semana doce, si bien algunas mujeres tienen la mala suerte de sufrirlas durante la mayor parte del embarazo. Aunque su causa exacta es desconocida, hay algunas cosas que puedes hacer para aliviar sus síntomas. Evita tener el estómago vacío (toma comidas escasas y frecuentes que contengan hidratos de carbono de fácil digestión como las patatas y las tostadas secas), o toma una galleta salada y una taza de té de jengibre antes de levantarte por la mañana, pues el jengibre en cualquiera de sus formas ayuda a aliviar las náuseas. También te ayudará chupar un limón o beber zumo de limón diluido en una taza de agua caliente. Evita las comidas o los olores que te mareen, respira mucho aire fresco y haz ejercicio.

Si las náuseas son fuertes y no puedes dejar de vomitar o notas que pierdes peso, consulta a tu médico para descartar *hiperemesis gravídica*, un tipo grave de vómito durante el embarazo que, en ocasiones, precisa hospitalización.

21

Antojos extraños

Nadie sabe por qué a algunas embarazadas se les antojan ciertos alimentos, pero los cambios hormonales pueden ser los responsables. Los antojos suelen ser más frecuentes durante el primer trimestre de embarazo, tras el cual suelen reducirse o incluso desaparecer. También se puede tener antojo de un alimento determinado o de varios. Mientras estos antojos no impidan que sigas una dieta sana, no ocurre nada por ceder ante ellos dentro lo razonable. También es posible desarrollar una extraña condición denominada *pica*, que es la ingesta compulsiva de sustancias no alimentarias como el carbón, la tiza, la pasta de dientes o cerillas quemadas. Debido a que la *pica* puede interferir en la absorción de minerales esenciales y puede significar que se toman menos alimentos nutritivos, siempre se debe consultar cualquier antojo no alimentario con el médico.

22

Alivio para el ardor de estómago

Los elevados niveles de progesterona que tu cuerpo produce durante el embarazo pueden ralentizar la digestión y relajar el esfínter situado entre el esófago y el estómago, lo que permite que los ácidos del estómago asciendan al esófago causando esa sensación de ardor conocida como acidez que, si es fuerte, puede ser muy molesta. Tomar comidas escasas y frecuentes puede ayudarte, así como evitar los alimentos picantes o grasos. Tampoco te eches después de comer, pues al caminar mejora la digestión. Cuando tengas acidez de estómago, siéntate recta y mastica una galleta salada ya que puede neutralizar el ácido. Los antiácidos también son válidos, aunque debes comprobar que puedan tomarse durante el embarazo. Muchas veces la acidez se produce por la noche, así que duerme algo elevada con ayuda de almohadas adicionales.

23

Las agujetas

Nadie sabe qué causa agujetas durante el embarazo, pero se las ha relacionado con unos niveles bajos de magnesio o calcio. El cansancio y el aumento de líquidos también pueden ser factores causantes, si bien aumentando la ingesta de líquidos se pueden reducir las agujetas de las piernas. Caminar descalza, estirarse y masajear el músculo debería aliviarlas.

24

Dolor en el ligamento redondo

A medida que el útero crece, los ligamentos redondos se estiran y quizá notes un dolor agudo o sordo en uno de los lados de la parte inferior del abdomen, cerca de la ingle, o en la espalda entre la semana 18 y 24. Evita permanecer de pie todo lo que puedas y siéntate con los pies elevados para evitar estos dolores. A veces un paño caliente ayuda a aliviar la molestia. Lo bueno es que este dolor suele remitir tras la semana 24.

25

Un asunto de escozor

Es muy frecuente en el embarazo sufrir una infección por hongos y, una vez que se ha tenido, es frecuente que vuelva a presentarse. Si notas un fuerte picor alrededor de la vulva y tu vagina está roja, dolorida y escocida, puede que tengas hongos. Si la infección es grave, consulta a tu médico, pero si es leve podría solucionarse sólo con un cambio de dieta. Prueba eliminando el azúcar y la harina blanca sustituyéndolas por la integral, fruta, verduras y proteínas. También puedes probar a aplicar aceite de tilo diluido en la zona, lo que suele ser muy eficaz. Coloca un gran recipiente de agua caliente en el bidé y añade cuatro gotas de aceite de tilo. Después siéntate sobre esta solución durante al menos diez o quince minutos y repítelo cada pocos días para controlar la infección. También puedes mezclar vinagre blanco con agua caliente y aplicarlo con un algodón o un trapo limpio.

26

¿El picor te saca de quicio?

A medida que tu embarazo progresa, tu piel se estira tanto que puede llegar a picar. Cálmala con loción de calamina, aloe y cremas hidratantes. También, una vez que ya estés en el segundo trimestre, puedes utilizar aceites de aromaterapia para aliviar el picor, pero antes de comprar uno comprueba que es apto para el embarazo. Se puede elaborar una buena crema para aplicar en las zonas afectadas vertiendo unas gotas de camomila, lavanda y bergamota en 50 ml de olmo escocés. La condición médica más habitual causante del picor durante el embarazo es el prurito, que suele tratarse con antihistamínicos. Si el picor es fuerte, en especial al final del embarazo, deberás consultar a tu médico inmediatamente, pues puede ser un síntoma de una enfermedad del hígado extraña y peligrosa llamada *colestasis* entre cuyos síntomas se encuentran la ictericia, el oscurecimiento de la orina y un malestar general.

27

Combate el dolor de espalda

A medida que el embarazo avanza y tu barriga crece, los ligamentos y articulaciones comienzan a relajarse como preparación para el nacimiento, lo que puede desequilibrar el cuerpo causando dolor de espalda. Intenta ajustar tu postura de modo que repartas tu peso equitativamente cuando camines o estés de pie. Cuando estés sentada fíjate en que tu espalda esté bien apoyada y coloca los pies en un escabel para que las rodillas queden a la altura de la cadera, asegurándote de doblar las rodillas, no la espalda, para levantarte. Si tienes que cargar con las bolsas de la compra reparte el peso de forma equilibrada llevando una bolsa en cada mano. Duerme sobre un colchón firme e intenta echarte sobre un costado colocando un cojín entre las rodillas y debajo de la barriga para sujetar mejor la espalda.

28

Falta de oxígeno

Puede que a medida que el embarazo avanza te falte el oxígeno porque tu útero, cada vez mayor, comienza a oprimir el diafragma y los pulmones. Cualquier forma de esfuerzo hará que te falte el aliento durante esta fase. Sin embargo, no te asustes cuando te sientas así. Te ayudará mantener una postura recta tanto de pie como sentada porque el pecho tendrá mucho espacio para expandirse. Además, por suerte, a medida que el bebé se desplaza hacia la pelvis durante las últimas semanas, la falta de aire remite. No obstante, no la descuides porque la falta aguda de oxígeno (lo suficiente como para hacerte jadear y que tus labios y dedos se tornen azulados) podría ser síntoma de un problema mayor, en especial si te duele el pecho. En este caso, acude al médico de inmediato.

29

Soluciones calmantes

Las hemorroides son venas varicosas situadas en el recto que están causadas por la presión que el útero ejerce en los vasos sanguíneos principales. Tu médico te recetará un ungüento calmante o bien prueba colocando aceite de olmo sobre ellas, o tomando baños de asiento calientes. Come mucha fruta y verdura y bebe mucha agua para evitar el estreñimiento.

30

Pequeñas pérdidas

Durante los últimos meses de embarazo puede que sufras pequeñas pérdidas de orina cuando tosas, estornudes o te rías, un hecho bastante frecuente causado por la creciente presión que el útero ejerce sobre la vejiga. La ejercitación regular de los músculos del suelo pélvico te ayudarán a evitarlo. También asegúrate de orinar tan pronto como sientas la necesidad.

31

Una racha de mareos

Al comienzo del embarazo a veces podrías sentirte mareada porque el flujo sanguíneo está luchando para mantener un aumento de la circulación. Más adelante la causa podría ser que el útero presiona los grandes vasos sanguíneos, que el nivel de azúcar en sangre está bajo, por levantarte demasiado rápido o por sobrecalentarte. Para evitar estos mareos, no te eches completamente en horizontal y siempre que estés echada o sentada levántate despacio. Toma comidas escasas y frecuentes ricas en proteínas para mantener los niveles de azúcar en sangre y lleva contigo una bolsa de pasas, fruta o galletas saladas para elevar dichos niveles cuando lo necesites. Si sientes que vas a desmayarte, coloca la cabeza entre las rodillas o échate durante unos minutos con los pies por encima del nivel de la cabeza, pues estas posturas evitan los mareos al incrementar el riego sanguíneo del cerebro.

Dolores de cabeza

Los cambios hormonales pueden causar lo que se conoce como dolores de cabeza del embarazo. Debido a que es preferible no tomar analgésicos en este estado, tendrás que buscar otros modos de calmar o prevenir estos dolores. Las técnicas de relajación como el yoga y la meditación suelen aliviar la tensión, aunque también puedes probar colocándote una bolsa de hielos en la nuca. El cansancio y el hambre también pueden causarlos, así que evítalos descansando mucho y comiendo con frecuencia. Si los ambientes calurosos y cargados te provocan dolor de cabeza, evítalos, o sal con frecuencia a tomar el aire fresco. Sentarse con el cuerpo doblado también puede causar jaquecas, así que ponte recta y vigila la postura. Si el dolor se acompaña de dolor abdominal y visión borrosa, podría ser *preeclampsia*, así que llama al médico de inmediato.

33

Exceso de salivación

Durante las primeras semanas de gestación puede que produzcas más saliva de lo normal, lo que se conoce como *ptialismo*. Quizá también notes que la saliva tiene un sabor más amargo y que la lengua parece haberse agrandado. Eliminar de la dieta los alimentos con fécula y los productos lácteos, a la vez que se aumenta la ingesta de fruta, suele reducir este problema. Los caramelos y chicles de menta también reducen la producción de saliva. Cepíllate los dientes con pasta de dientes a la menta para refrescar tu boca.

34

Unos momentos de relajación

Los eructos y las ventosidades son males inevitables, por los que no hay gran cosa que puedas hacer. Evita tanto el estreñimiento como el exceso de alimentos, pues podrían agravar este problema, al igual que productos como las cebollas, las verduras de la familia de la col y los alimentos fritos o pesados.

35

El flujo

Durante el embarazo es normal tener un flujo vaginal leve, blanquecino y de olor moderado. Aunque comienza como el flujo que tienes antes del período, éste aumenta a lo largo del embarazo y en la fecha en que el bebé debe nacer se vuelve bastante denso. Por ello quizá te sientas más cómoda utilizando protege slips, pero no utilices tampones ya que podrían introducir gérmenes en la vagina y causar una infección. Mantén limpia y seca la zona genital y evita los jabones perfumados, los baños con geles y los polvos de talco. Si el flujo se torna de un color amarillento, verdoso o denso y emite un olor desagradable consulta a tu médico pues podrías padecer una infección que habría que tratar.

36

¿Te sientes cansada?

Sentirse muy cansada durante el primer trimestre, la época en que el cuerpo está experimentando muchos cambios físicos a la vez, es completamente normal, pero alrededor de la semana doce o catorce comenzarás a sentirte con más energía, más como tú sueles ser. No obstante, hacia el final de los nueve meses puede que vuelvas a sentirte cansada en parte por el peso adicional que soportas y en parte porque tu sueño se ve alterado por numerosas visitas al baño durante la noche. Necesitarás descansar todo lo posible, así que sé realista con respecto a lo que puedes o no puedes hacer. No intentes ser una *superwoman*. Si puedes, reduce la jornada laboral si aún trabajas y toma taxis o autobuses en lugar de ir caminando al trabajo. Y no dependas de la cafeína y los dulces para proveerte de energía, pues tu cuerpo los eliminará y te sentirás aún más cansada tan pronto como los niveles de azúcar en tu sangre disminuyan.

37

Problemas de vejiga

Al comienzo del embarazo tus visitas al aseo se hacen más frecuentes de lo normal debido al aumento del fluido que los riñones procesan y porque el útero, que es cada vez mayor, presiona la vejiga. Además, las hormonas del embarazo agravan el problema estimulando el músculo de la vejiga y haciendo que los tejidos se ablanden. Hacia el final del embarazo, una vez que el bebé ya se ha encajado en la pelvis y presiona más la vejiga, necesitarás orinar incluso con más frecuencia, tanto que incluso te impedirá dormir bien por las noches. Inclinarse hacia delante al orinar ayuda a vaciar la vejiga por completo, con lo que se reduce el número de visitas al baño.

38

¿No puedes ir?

Algunas de las hormonas producidas en el embarazo pueden hacer que tus intestinos se relajen tanto que se vuelvan lentos y menos eficientes, pero puedes ayudar a evitar el estreñimiento tomando mucha verdura, fruta y fibra, así como bebiendo mucha agua y haciendo ejercicio con regularidad. Un rápido paseo de 20 minutos cada día fomenta la actividad de los intestinos. Igualmente, cuando estés en el baño no intentes apresurar el proceso y tómate tu tiempo para vaciar tus intestinos. A veces es buena ayuda relajar por completo el suelo pélvico, que se hará tensándolo todo lo posible para después relajarlo por completo.

39

Varices

Quizá notes que las venas más superficiales de las piernas parezcan hinchadas; son las varices. Es más probable que las sufras si tienes antecedentes familiares, sobrepeso o si pasas mucho tiempo de pie o sentada. Aunque no suelen ser dolorosas, sí son antiestéticas y, a pesar de que se reducen tras el parto, no es frecuente que desaparezcan del todo. Reduce las posibilidades de tener varices evitando estar de pie demasiado rato y descansando con los pies elevados varias veces al día. Si has de estar sentada durante períodos prolongados, mueve las piernas de vez en cuando, flexiona los pies y no las cruces. También te ayudará llevar medias de compresión.

40

Nariz taponada

El aumento del flujo sanguíneo en el cuerpo provoca que las paredes de las fosas nasales se hinchen, lo que puede llevar a una congestión y una sobreproducción de moco que quizá no mejore tras el nacimiento del bebé. Lograrás estar más cómoda reforzando la ingesta de líquidos, humidificando tu casa (en especial tu habitación) y durmiendo con el tronco elevado. Si la congestión aumenta, cubre tu cabeza y respira profundamente sobre un recipiente lleno de agua en evaporación, pero no utilices medicamentos o aerosoles nasales a no ser que tu médico te los haya recetado. Mantén la boca húmeda tomando frecuentes sorbos de agua y mójate los labios con cacao o brillo de labios.

Una alimentación saludable

Cinco al día

Incluye algunas frutas y verduras en tu dieta, pues
estos alimentos contienen agua y fibra, así como
vitaminas y minerales esenciales. Toma al menos cinco raciones al día
(una ración equivale a un vaso de zumo de naranja, una pieza de fruta
grande o tres cucharadas de verdura cocida) y opta por
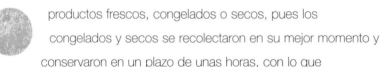 productos frescos, congelados o secos, pues los
congelados y secos se recolectaron en su mejor momento y
conservaron en un plazo de unas horas, con lo que
suelen tener más valor nutricional que productos que han
estado en las bandejas del supermercado durante días.
Procura comer fruta y verduras crudas todos los
días y, cuando cocines, prepáralas al vapor o sofríelas
ligeramente para que conserven las vitaminas.

Aquí hay gato encerrado

El pescado azul, incluyendo las sardinas, el salmón y la caballa contienen ácidos grasos esenciales omega-3 que, sin duda, son importantes para el desarrollo de los sistemas cerebral y visual del feto. Se cree que estos ácidos grasos son esenciales para el desarrollo del bebé en especial durante el último trimestre de embarazo, cuando el peso de su cerebro se multiplica por cuatro o cinco. Muchos investigadores también creen que los ácidos grasos omega-3 reducen el riesgo de parto prematuro y aumentan el peso del bebé. Igualmente los datos indican que pueden reducir el riesgo de tener una tensión arterial elevada durante la gestación.

43

El agua milagrosa

El embarazo aumenta la temperatura corporal, de manera que puedes deshidratarte con facilidad en especial en épocas cálidas, cuando se suda más de lo normal. Procura beber al menos dos litros de líquido al día. Lo mejor es el agua, pero la leche, el té de hierbas y los zumos de fruta o verdura también son opciones sanas.

44

Reduce la cafeína

Demasiada cafeína puede acelerar el ritmo cardíaco, causando palpitaciones o ansiedad. Los médicos recomiendan no beber más de una taza de café o cuatro tazas de té al día, así como reducir al mínimo la ingesta de cacao, chocolate y bebidas a base de cola. Si te gusta el sabor del café o el té, tómalos descafeinados.

45

Cuidado con el alcohol

Los expertos afirman que lo más seguro es evitar el alcohol por completo durante todo el embarazo para evitar el síndrome alcohólico fetal. De hecho, la mayoría opina que lo mejor es evitar el alcohol durante el primer trimestre, cuando los órganos principales del bebé se están formando. No olvides que el alcohol llega al feto a través de la placenta. Además, cualquier efecto producido por las bebidas alcohólicas se intensifica en el sistema del feto, al que le cuesta el doble que a ti eliminar el alcohol de su cuerpo. Ningún tipo de alcohol es mejor que otro; tanto la cerveza, como el vino y el licor tienen los mismos efectos en el bebé, así que evítalos.

46

Levanta ese hierro

Durante el embarazo el volumen de sangre puede duplicarse, de modo que el hierro es especialmente importante al ser parte esencial de las nuevas células sanguíneas. Elevando los niveles de hierro reducirás la probabilidad de padecer anemia por falta de hierro, debiendo tomar 30 miligramos de hierro al día para satisfacer las demandas del embarazo. Algunas buenas fuentes de este mineral son la carne roja, la carne de ave y las sardinas, verduras como las espinacas y la col rizada, y también la pasta, la fruta, los cereales, los frutos secos, los huevos, y el pan y los cereales enriquecidos. La vitamina C ayudará a tu cuerpo a absorber el hierro, así que incluye en tus comidas las frutas o verduras que la contengan, como las naranjas, los tomates y los pimientos rojos y verdes. El hierro puede hacer que tus deposiciones se tornen de color negro, pero es normal.

47

El ácido fólico

Una de las vitaminas B, el ácido fólico, es especialmente importante antes de la concepción y durante las 12 primeras semanas de gestación, ya los estudios han demostrado que la ingesta de un suplemento de ácido fólico reduce en gran medida el riesgo de que el bebé nazca con un defecto en el tubo neural, como la espina bífida. Aunque esta vitamina se encuentra en alimentos como los vegetales de hoja verde, las naranjas y los plátanos, es posible que tu dieta no te aporte lo suficiente, de modo que un complemento se hace necesario. Se recomienda tomar 0,4 miligramos al día. Algunos productos manufacturados como el pan o los cereales están enriquecidos con él. Tras la semana 12 de embarazo el tubo neural del bebé se habrá formado y el período más vulnerable habrá pasado.

48

Toma lo mejor de la verdura

La verdura fresca pierde sus nutrientes con rapidez, de modo que debes tomarla el mismo día que la compras. La mayoría de sus nutrientes se encuentra justo bajo la piel, así que cómela siempre que sea posible. En el caso de los tubérculos como la zanahoria, deberás rasparlos, no pelarlos. Además, debido a que las frutas y las verduras pierden vitaminas cuando se trocean, es mejor que las comas enteras.

49

Compra con cabeza

Compra siempre los productos lácteos, la carne y el pescado en último lugar para que estén fuera de un ambiente refrigerado el menor tiempo posible. Tampoco tomes alimentos cuya fecha de caducidad haya pasado y evita comprar productos cuyo envase esté dañado, ya que podrían estar contaminados o haberse estropeado.

50

Los suplementos vitamínicos

No tomes suplementos vitamínicos a no ser que el médico te los haya recomendado o cuenten con su aprobación. A menudo los médicos recetan suplementos prenatales que contienen hierro si el nivel del mismo está bajo, aunque el hierro puede recetarse de forma separada. Sin embargo, debes recordar que tomar más vitaminas y minerales que en su cantidad diaria recomendada (CDR) pueden ser tóxico, lo que puede ser peligroso para ti y para tu bebé. Incluso si el medico te recomienda tomar suplementos, recuerda que éstos no son sustitutos de una dieta saludable.

¿Comer por dos?

Puede que imagines que con un bebé en camino necesites doblar la cantidad que comías antes de estar embarazada, pero en realidad sólo necesitas 300 calorías diarias más, lo que significa que precisas un máximo de unas 2.500 calorías en total al día. Resulta fácil obtener esta toma adicional de calorías con un tazón de cereales y leche desnatada, dos rebanadas de pan integral con mantequilla o un vaso de leche y un plátano. Si no quieres engordar demasiado, sin duda no debes comer por dos. Por supuesto, no todo el mundo tiene las mismas necesidades dietéticas, así que si tienes alguna duda sobre tu dieta durante el embarazo, consulta con tu médico.

52

Cuidado con los gatos

La *toxoplasmosis* es una infección que puede causar daños cerebrales o ceguera en el bebé, en especial en el último trimestre. El organismo reside en las heces de los animales, en especial las de los gatos, si bien también se encuentra en la carne cruda o poco cocinada. Para evitar la infección, asegúrate de comer sólo carne muy hecha, lavar a conciencia las frutas y verduras y lavarte siempre las manos antes de cocinar o comer. Si tienes animales domésticos, lávate las manos después de acariciarlos y delega en otra persona la limpieza del cajón de arenas de los gatos. Utiliza siempre guantes cuando trabajas en jardinería y lávate las manos después de hacerlo, pues la tierra podría estar infectada por contener heces de gato descompuestas.

53

No te contagies

Algunos alimentos pueden transmitir infecciones, por lo que es mejor no tomarlos mientras estés embarazada. Entre ellos se encuentran:

- Todos los quesos no pasteurizados, incluyendo el feta, los quesos madurados en molde como el brie, y los quesos azules.
- La leche de oveja y cabra y sus derivados.
- Los patés frescos, incluyendo los de carne, pescado y verdura.
- Alimentos refrigerados cocinados (como los fiambres envasados), las ensaladas frías, y productos de aves precocinados.
- Carne de ave o cerdo poco cocinada y carne que se tome cruda.
- Huevos crudos o poco hechos o productos que los contengan.
- Pescado crudo, incluyendo el sushi, y marisco crudo o poco cocinado.
- Pescados grandes (tiburón, pez espada, blanquillo y caballa del Atlántico) que pueden contener niveles elevados de mercurio.
- Ensaladas listas para comer (a no ser que la laves antes).
- Hígado y productos derivados.

54

Controla tu peso

Si tu médico está preocupado por la cantidad de peso que estás ganando, no reduzcas los hidratos de carbono porque te ayudan a sentirte llena, además de darte energía. En lugar de eso, reduce los aderezos que suelen acompañarlos como la mantequilla o las salsas.

55

Cuidado con la grasa

Los productos lácteos desnatados conservan los mismos minerales y las vitaminas disueltas en el agua que sus versiones enteras, así que opta por ellos cuando puedas. Puede que no sepan igual de bien si se toman solos, pero cuando se emplean para cocinar no podrás advertir la diferencia.

Las reglas del calcio

La leche, el queso y el yogur son productos ricos en calcio, que es uno de los minerales más importantes durante el embarazo. Tu bebé necesita calcio para sus dientes y huesos, así como para el desarrollo de sus músculos, su corazón y sus nervios. Aunque durante el embarazo tu cuerpo se adapta para absorber más calcio de la comida que tomas, aún necesitas aumentar su ingesta incluyendo muchos productos lácteos en tu dieta. Tres vasos (225 ml) de leche de vaca te aportará el cien por cien del calcio necesario. Si no tomas suficientes alimentos ricos en calcio, tu bebé lo obtendrá de ti, lo que puede afectar a tus huesos e incluso en el futuro podrías padecer osteoporosis. Las últimas investigaciones sugieren que una dieta rica en calcio también puede ayudar a evitar la *preeclampsia* (hipertensión arterial del embarazo).

Especial vegetarianas

Aunque es posible que antes de quedarte embarazada tu dieta fuera sana, durante el embarazo necesitarás recargar al máximo tus reservas nutricionales para asegurarte de tomar suficientes proteínas, hierro, calcio y vitaminas D y B. Si eres vegetariana o estás preocupada por tu ingesta nutricional, consulta a un nutricionista cualificado sobre tu dieta.

- Toma alimentos ricos en proteínas de fuentes diferentes. Por ejemplo, combina los guisantes, las alubias y las lentejas con cereales. Incluye semillas de soja o alimentos elaborados a base de soja como el tofú y toma muchos huevos y queso. Algunos sustitutos de la carne son también ricas fuentes de proteína, pero lee siempre las indicaciones del envase porque muchos también contienen niveles elevados de grasa.

- El hierro se absorbe mejor de los productos lácteos y los huevos que de fuentes vegetales como las espinacas, así que incluye muchos alimentos lácteos en tu dieta.

• Si eres vegetariana y no tomas productos lácteos, necesitarás aumentar tu ingesta de calcio tomando una gran cantidad de verduras de hoja verde como el brécol y las espinacas junto con productos de soja, higos secos y semillas.

• Los productos lácteos también contienen vitamina D, que ayuda a absorber mejor el calcio. Si no tomas productos lácteos, incluye gran cantidad de pan enriquecido y cereales en tu dieta.

higos
espinacas
brécol
huevos

58

Aperitivos saludables

Si tu vida es demasiado ajetreada como para hacer comidas adecuadas, no caigas en la tentación de saciarte de calorías vacías como las tartas, las galletas saladas y las galletas dulces. Lo ideal sería que tomaras comidas regulares, pero cuando no puedas, toma fruta fresca o deshidratada, verdura cruda, barritas de muesli y yogur.

59

Intercambio

Si eres vegetariana el embarazo no es la mejor época para decidir tomar carne y viceversa, pues tu cuerpo puede necesitar meses para ajustarse a cambios como éstos, lo que podría afectar a la forma en que éste absorbe los nutrientes que tu bebé necesita para desarrollarse de forma sana.

Vitaminas esenciales

Tu bebé está desarrollándose y necesita vitamina C para crecer adecuadamente y tener huesos y dientes fuertes. Además, tomar gran cantidad de alimentos ricos en vitamina C también te ayudará a combatir infecciones, además de enriquecer la placenta, que nutre a tu bebé. Sin embargo, tu cuerpo no puede almacenar esta vitamina, de manera que debes tomarla cada día. Incluye en tu dieta gran cantidad de cítricos, kiwis, arándanos, fresas, papaya, pimiento rojo, coliflor, verdura de hoja verde y patatas. No obstante, debido a que la luz, el calor y la exposición al aire destruyen la vitamina C, es preferible tomar estos alimentos (excepto las patatas, que deben cocinarse) frescos o ligeramente cocinados.

Preparando la llegada
de tu bebé

Pintar y empapelar

No dejes la decoración del cuarto del bebé para última hora, pues una habitación recién decorada debería estar bien ventilada antes de que el niño la utilice, así que finaliza el trabajo de pintura al menos un mes antes de salir de cuentas y deja las ventanas abiertas para que el aire fresco pueda circular por la habitación. Tampoco es bueno que tú respires los vapores de la pintura, así que si fuera posible deja que otra persona la pinte y elige pinturas naturales al agua en lugar de pinturas con disolventes para evitar los vapores químicos.

Ten cuidado también al eliminar la pintura vieja de las paredes, pues algunas de ellas están fabricadas con plomo y podrían ser tóxicas. Si no estuvieras segura, lo más seguro es comprobarlo, pero de confirmarse deberás pedir a otra persona que limpie y pinte las paredes. Si la pintura vieja está descascarillada, contrata a un profesional que la elimine mientras tú estés fuera de casa para no correr el riesgo de

respirar el polvo de la pintura. Al
redecorar, opta por una decoración
que pueda adaptarse al crecimiento de
tu hijo. Además las paredes deben
poderse limpiar, de manera que la pintura
es más práctica que el papel. Puedes
alegrar las paredes de color liso con ribetes o
cenefas que puedas cambiar a medida que el
niño crece. Si estás haciendo tú la mayor parte
del trabajo, recuerda que tu equilibrio no es tan
bueno como antes, así que ten cuidado con
las escaleras de mano y no intentes subirte
demasiado alto, pues podrías perder el
equilibrio y caerte. Detente antes de
cansarte demasiado.

La primera canastilla

No compres mucha ropa del tamaño más pequeño porque los recién nacidos crecen con mucha rapidez. Si la ecografía muestra que tu bebé es grande (alrededor de 4,5 kg), probablemente utilizará desde el principio una talla más grande, pero aunque no lo sea, crecerá rápidamente y usará tallas mayores. Evita comprar ropa con volantes y lazos en los que sus deditos pudieran quedar atrapados y opta por ropa fácil de poner y quitar porque a muchos recién nacidos no les gusta que les vistan y desvistan. Busca camisetas con hombros abiertos y ropa de una pieza con cierres automáticos. En una canastilla básica necesitarás:

- 4 camisetas con hombros abiertos
- 4 prendas de una pieza
- 3 chaquetas de punto
- 2 pares de calcetines o patucos
- Gorro y guantes para el clima frío
- Toquillas o mantas

- 2 biberones
- 2 pijamas
- 1 saco
- 1 toalla
- 4 manoplas de baño
- 1 mantita

63

Ilumínate

La habitación debería contar con una buena luz que puedas encender cuando el bebé esté durmiendo, aunque quizá también prefieras una luz más suave y menos molesta. Instala un regulador de la intensidad de la luz en la lámpara principal o una iluminación nocturna que emita una luz agradable.

64

La seguridad es lo primero

Cuando compres todo lo que el niño necesita, comprueba en las etiquetas que cumple todas las normativas de seguridad. Si sospechas que cualquier artículo ha sido importado o no cumple las normas, no cedas a la tentación de comprarlo aunque sea una ganga, pues podría no ser seguro y pondrías en riesgo a tu bebé.

Un lugar para dormir

Tu bebé necesitará un lugar cómodo donde dormir como un moisés o una cuna de recién nacido. Los serones y las cunas pequeñas son muy bonitos y sirven para niños hasta los cuatro meses. Además, como ocupan menos espacio que una cuna convencional, resultan muy cómodos si el niño duerme en vuestra habitación y no os sobra el espacio. No obstante, el bebé también puede dormir en una cuna normal que utilizará hasta que tenga edad para dormir en una cama. Algunas cunas están diseñadas para adaptarse a una esquina, mientras que otras tienen laterales que se pueden quitar para convertirse en una prolongación de tu cama. Quizá prefieras comprar una cuna que pueda convertirse en una cama que utilizará hasta que pueda caminar. En todo caso, antes de decidirte considera si quieres tener más niños, pues en ese caso en algún momento necesitarás tener tanto una cuna como una cama, con lo que una cuna convertible quizá no sea una buena idea.

La leche materna es lo mejor

La leche materna contiene todo lo que el bebé necesita durante los primeros seis meses de su vida en la proporción adecuada. El calostro, que es la primera leche que el pecho produce, contiene todos los anticuerpos que protegerán a tu bebé de las infecciones y harán que sus intestinos sean más resistentes a bacterias perjudiciales. Además es más fácil de digerir, está siempre lista para tomar, tiene la temperatura perfecta y es gratis. Para dar el pecho a tu bebé necesitarás los siguientes elementos:

- Discos absorbentes desechables
- 2 Biberones y tetinas (para la leche extraída)
- Un sacaleches (opcional)
- Un esterilizador
- Un cepillo para lavar los biberones

67

La leche maternizada

Si no puedes amamantar o no quieres hacerlo, deberás

dar a tu bebé una leche maternizada. Todas las leches

en polvo maternizadas están elaboradas para aportar la

cantidad adecuada de nutrientes, vitaminas y minerales.

Puedes elegir de entre muchas marcas, la mayoría de las

cuales están elaboradas a partir de leche de vaca modificada. Por

suerte, existen alternativas para bebés que necesitan dietas especiales.

Para alimentar a tu bebé con leche maternizada necesitarás:

- 6 biberones y tetinas
- Un esterilizador
- Un cepillo para lavar los
  biberones
- Un calienta biberones
- Un bote de leche
  maternizada en polvo

68

La elección de los pañales

La elección de los pañales depende de una serie de factores como el coste, el tiempo, la posibilidad de lavado y tu preocupación por el medio ambiente. No existe duda acerca de que los de un solo uso son más cómodos porque sólo se utilizan una vez y se tiran. Por el contrario, los pañales de gasa necesitan esterilizarse, lavarse y secarse después de cada uso. Sin embargo, recuerda que tu bebé utilizará aproximadamente seis mil pañales antes de utilizar el orinal, lo que hace que su coste sea algo que debamos considerar seriamente. En cambio, una o dos docenas de pañales de gasa serán suficiente durante todos los años que el bebé los utilice. Por supuesto, el aspecto medioambiental es más complicado y la mayoría de las personas creen que los pañales de un solo uso son menos ecológicos que los pañales de gasa porque el plástico que contienen puede tardar hasta quinientos años en descomponerse.

Intercomunicadores

Un intercomunicador es un dispositivo que seguramente querrás tener
ya que permite comprobar que el bebé está bien mientras duerme. Los
intercomunicadores tienen dos unidades separadas, una para el bebé
y la otra para los padres, que pueden conectarse a la red eléctrica o
bien funcionar con pilas. Algunos incluyen lamparillas en la unidad
destinada a los padres y otros tienen una luz activada por sonido. Los
modelos más modernos incluso tienen un indicador de
temperatura en ambas unidades y una luz de aviso por
falta de batería o de cobertura. Comprueba siempre
el alcance la cobertura antes de comprar un
intercomunicador y, si lo que buscas es aún más
seguridad de la que estos modelos te ofrecen,
puedes comprar uno que incluya un sensor que
se coloca bajo el colchón para controlar sus
movimientos y su respiración.

El carricoche

Antes de decidir la clase de carrito que quieres comprar, piensa en tu estilo de vida. Si paseas cada día y quieres tener más de un hijo, un carrito tradicional será lo más conveniente, pues resulta cómodo para el bebé y son duraderos. Sin embargo, si utilizas mucho el coche o el transporte público, un carrito no será práctico, de modo que considera un sillita de paseo, que puedes trasportar y manipular con facilidad. Si vas mucho al campo o haces *footing*, lo más adecuado será una silla todoterreno. Comprueba siempre el grupo de edad recomendado para el carrito o la silla antes de comprarlo para asegurarte de que es adecuado para un recién nacido.

71

Compras de segunda mano

Los artículos para bebés que se mantienen en buenas condiciones pueden ahorrar mucho dinero. No obstante, no compres objetos de segunda mano que pudieran estar dañados, como las sillas de automóvil, asegúrate de que te dan las instrucciones y de que todo lo que compres cumpla las normativas vigentes de seguridad.

72

Compras por correo

Salir de compras puede ser lo que menos te apetezca hacer cuando estás embarazada, pero por suerte hay compañías de Internet y de venta por correo especializadas en ropa de bebés y artículos con entrega a domicilio. Además sus precios suelen ser competitivos, así que estudia lo que pueden ofrecerte antes de asaltar el centro comercial.

Cosmética de bebés

La piel de tu recién nacido es muy suave y delicada, de manera que lo mejor es no utilizar jabón hasta que tenga al menos tres meses de edad. El agua sola basta para lavar la piel de un bebé. Sin embargo, si tu niño tiene partes de la piel más resecas, tendrás que utilizar aceite o crema hidratante o quizá debas emplear una crema para proteger o curar su piel de la irritación en la zona del pañal. Cuando compres champú, jabón de baño o toallitas húmedas, comprueba que sean hipoalergénicos, que son productos dermatológicamente testados para no agredir la piel de tu bebé.

La hora del baño

No es esencial tener una bañera para bebés, si bien facilita la hora del baño. Una alternativa es comprar un soporte especial especialmente diseñado para adaptarse a tu bañera que mantiene la cabeza del bebé bien por encima del nivel del agua, dejándote las manos libres para lavarlo. Asegúrate siempre de que el lugar donde bañes al bebé esté caliente y no tenga corrientes de aire, y no te olvides de llevar contigo todo lo que necesites antes de comenzar el baño para que no tengas que dejar nunca al bebé solo. Para bañar a tu bebé necesitarás:

- Una bañera o un soporte para la bañera
- Algodones
- Toallitas húmedas
- 2 toallas suaves grandes
- Una esponja
- Un cepillo del pelo suave
- Tijeras de punta redondeada

75

Las mochilas

Tu recién nacido disfrutará estando en contacto directo contigo, pero no resulta práctico llevarlo en brazos cuando tienes cosas que hacer en casa o sales a comprar, razón por la que resulta tan práctico tener una mochila. Un marsupio o una mochila frontal acolchada, de algodón y lavable es la mejor forma de llevar a un recién nacido. Opta por uno que sujete bien la cabeza y la espalda y asegúrate de que puedes ponértela y quitártela fácilmente y sin ayuda. Para bebés mayores y pesados, las mochilas traseras son más sólidas.

76

Cosas irritantes

Lava la ropa nueva de tu bebé, las toallas y la ropa de cama antes de utilizarlas. Durante el proceso de fabricación, los tejidos son tratados con productos químicos que pueden irritar la delicada piel del recién nacido. Aclara bien todas las prendas y sécalas en una secadora para mantener su suavidad.

77

Muebles básicos

Al principio, tu bebé necesita un lugar donde dormir y donde guardar su ropa y sus enseres. Al margen de los muebles que compres, asegúrate de que sean suficientemente sólidos como para que no puedan caerse una vez que tu niño camine por sí solo. Un cambiador no es esencial, aunque quizá quieras comprar uno por comodidad, así como por la bandeja que incluyen para colocar los pañales y los productos de aseo. Si compras un moisés para tu recién nacido, quizá también quieras comprar el soporte.

78

Edredones sin adornos

Algunas cunas incluyen el juego de edredón, almohada y complementos, que son potencialmente peligrosos. Evita la ropa de cama con lazos que podrían estrangular al bebé y prescinde de cualquier edredón y almohada, pues podrían subir demasiado su temperatura o asfixiarlo.

79

Evita la luz directa

Elige para su habitación unas cortinas gruesas que impidan entrar la luz en las mañanas estivales, aunque puedes instalar cortinas opacas en las ventanas que también serán útiles cuando quieras que tu bebé duerma la siesta durante el día. Algunos bebés dormirán en cualquier condición, y si este es tu caso, las cortinas opacas te resultarán inútiles. No obstante, siempre es bueno estar preparado.

Seguridad en el automóvil

Una silla de automóvil es uno de los primeros accesorios que comprarás. En primer lugar, necesitarás una que lleve a tu niño sano y salvo a casa desde el hospital. Una silla para el automóvil sirve desde el nacimiento hasta que el niño pesa unos 13 kg, normalmente a los seis meses de edad. El cinturón de seguridad del automóvil la mantendrá fija en el sitio. La ley exige que las sillas para el automóvil miren hacia atrás y se sitúen en el asiento trasero para proteger al niño al máximo. Opta por una silla con laterales elevados y un reductor que sujete la cabeza de tu bebé e instálala siguiendo siempre las instrucciones del fabricante. Si tienes dudas acerca de la instalación, lleva la silla y tu coche a un taller que ofrezca un servicio de instalación de sillas infantiles.

Tu pareja y tú

81

Una revolución hormonal

Es posible que sientas ganas de llorar y que sufras cambios drásticos de humor, en especial durante los primeros meses. Estos sentimientos son perfectamente normales y están causados por los cambios hormonales que se producen en tu cuerpo. Tus emociones podrían asentarse durante el segundo trimestre y desaparecer a medida que se acerca el parto.

82

Los hombres también sufren...

Tu pareja también podría tener problemas para abordar tu embarazo por no ser capaz de apreciar cómo te sientes. Además puede sentirse apartado ya que tú eres el centro de toda atención. Es realmente importante mantener la comunicación; hablad sobre vuestros sentimientos todo lo posible e implícale en los cuidados prenatales.

83

¿No te sientes atractiva?

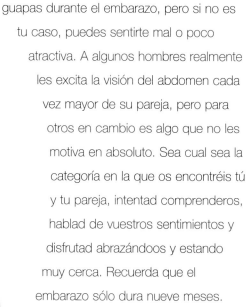

Algunas mujeres se ponen especialmente guapas durante el embarazo, pero si no es tu caso, puedes sentirte mal o poco atractiva. A algunos hombres realmente les excita la visión del abdomen cada vez mayor de su pareja, pero para otros en cambio es algo que no les motiva en absoluto. Sea cual sea la categoría en la que os encontréis tú y tu pareja, intentad comprenderos, hablad de vuestros sentimientos y disfrutad abrazándoos y estando muy cerca. Recuerda que el embarazo sólo dura nueve meses.

84

Los viajes

Si estáis planificando unas últimas vacaciones un par de semanas antes del nacimiento del bebé, aseguraos de comprobar la política de la compañía aérea sobre las viajeras embarazadas, ya que si ya has pasado la semana 28 muchas de ellas no te admitirán ante el riesgo de un parto prematuro. También deberás comprobar si necesitarás algún tipo de vacuna ya que algunas, como la de la fiebre tifoidea, no son convenientes durante el embarazo. Si viajas a otro país, no bebas agua a no ser que estés segura de que se puede y mantén tu ingesta de fluidos con zumos de frutas y agua embotellada. Ten también cuidado con lo que comes, pues querrás evitar los trastornos intestinales. Vayas donde vayas, lleva contigo una fotocopia de tus informes médicos y guárdalos en el equipaje de mano para cualquier emergencia.

85

Mimos

Quizá no te apetezca mucho tener relaciones sexuales, en especial durante el primer trimestre, pero lo más seguro es que sí te apetezca que te den muchos mimos. Explica a tu pareja cómo te sientes para que lo comprenda y no se sienta rechazado por tu falta de entusiasmo ante las relaciones. No obstante, muchas mujeres se sienten muy atractivas durante el segundo trimestre y algunas incluso experimentan orgasmos múltiples por primera vez. Pero no te preocupes si esto no te sucede, porque también es natural. Hacia el final del embarazo tu abdomen podría molestaros, así que probad posturas en las que tu pareja no apoye su peso sobre ti. Procura recordar que, al margen de cómo te sientas, lo realmente importante es que ambos os sintáis amados y queridos.

Preparación para la paternidad

Tú y tu pareja deberíais utilizar el embarazo como un período de preparación a la paternidad desde el punto de vista emocional y práctico. Asistir a las clases de preparación al parto os dará la oportunidad de hablar con otras parejas y con un profesional sobre todo lo que os preocupe sobre el parto. También es buena idea

adquirir durante este período toda la experiencia posible en niños, así que ofreceos para cuidar de los hijos de vuestros amigos y visitad a las mujeres de la clase de preparación al parto que ya hayan dado a luz, pues os familiarizaréis con el recién nacido y su forma de ser. Cuanta más experiencia práctica tengáis, más fácil será cuando llegue vuestro propio bebé.

87

Las ecografías

Resulta emocionante ver a tu bebé en una ecografía, si bien también es natural que estas pruebas causen nerviosismo. Asegúrate de que comprendes el propósito de cada una y el significado de los resultados. Es posible que quieras que tu pareja te acompañe para asegurarte de que ambos entendéis el motivo de la prueba. También es útil escribir de antemano las preguntas que quieres formular porque en una situación de estrés es fácil olvidarse de algo importante. Recuerda que las ecografías se realizan para detectar problemas con tiempo de modo que el niño tenga el mayor número de posibilidades de nacer sano.

88

Conoce a tu bebé

Los fetos pueden sentir, ver y oír, así que dedica algún momento a acariciar tu barriga y hablar al bebé, y haz que tu pareja haga lo mismo. Muchas personas también creen que los bebés experimentan las emociones de su madre por medio de los componentes químicos de su sangre, así que si eres feliz, tu bebé también lo será.

89

Los bebés necesitan una familia

Es bastante natural que en el embarazo te sientas muy cercana a tus padres y a tus suegros, pues puede que tengas la acuciante necesidad de sentirte cuidada. Además implicar a los futuros abuelos ahora no sólo te aporta apoyo extra, sino que también les hace sentir a ellos que el futuro bebé ya forma parte de sus vidas.

Tu compañero de parto

Es buena idea elegir de antemano quién será la persona que quieres que te acompañe el día del nacimiento para que pueda también acompañarte a las clases de preparación al parto y practicar contigo las técnicas de relajación y respiración. Puede que decidas que tu pareja es la única persona que necesitas o puede que prefieras tener a tu lado a tu madre, un familiar cercano o una amiga. Algunas mujeres emplean una *doula*, que es una mujer especializada en partos, para que las atienda, pero tampoco hay nada de malo en querer estar sola únicamente con el apoyo del equipo médico. No te dejes influir por los demás; lo que sientas será lo que debes hacer.

91

Relájate con un masaje

Un masaje es una forma estupenda de aliviar la tensión y recuperar los niveles naturales de energía del cuerpo, además de ayudar a relajarse, aliviar el dolor de espalda y quizá a dormir mejor. En los primeros meses de embarazo puedes echarte boca abajo para recibir un masaje en la espalda, pero a medida que el embarazo avance, deberás echarte de costado o sentarte frente al respaldo de una silla y apoyarte en tus brazos. Para aprovecharlo al máximo, asegúrate de que la habitación donde lo recibes es cálida y tranquila. Si quieres utilizar aceites esenciales, comprueba que son adecuados para el embarazo.

92

Decisiones

Quizá tu pareja y tú ya hayáis tomado algunas decisiones sobre el parto y el nacimiento. Por ejemplo, puede que ambos queráis que el parto sea natural y sin anestesia, o quizá queráis que nazca en casa. Sin embargo, aunque no hay nada de malo en tener ideales, recordad que al final lo único que importa es tu salud y la de tu bebé. Intentad no decepcionaros si las cosas no salen exactamente como habíais planeado ni sintáis que os habéis fallado a vosotros o a otras personas si tenéis que tomar alguna decisión en lo referente al parto. Y si hay algo que os preocupa tras el nacimiento sobre por qué fueron necesarios ciertos procedimientos, no dudéis en hablarlo con vuestro médico.

93

La depresión postparto

Alrededor del diez por ciento de las mujeres sufren depresión durante

el embarazo o tras el parto. Es más probable que tengas una

depresión si existen antecedentes familiares, si no cuentas

con suficiente apoyo emocional o si alguna complicación de

salud os afecta a ti o a tu bebé. Si crees que estás deprimida y

este sentimiento perdura dos o más semanas, deberías hablar con tu

pareja, tu madre o una amiga y explicarle cómo te sientes. Si la

depresión persiste, entonces busca consejo médico, pues ésta puede

interferir en tu propio cuidado o el del bebé. Tu médico podrá ayudarte

asesorándote y, si cree que tu depresión es grave, te recetará una

medicación adecuada.

Deja de fumar

Muchos datos han demostrado que ser fumadora o fumadora pasiva es malo para tu salud, con lo que es evidente que fumar es también perjudicial para tu bebé. Lo ideal sería que tanto tú como tu pareja dejarais de fumar antes de concebir al niño, pero aunque no lo hayáis hecho, nunca es demasiado tarde. Además, aunque ya hayan transcurrido algunos meses de embarazo, tu bebé de todas formas se beneficiará de ello. Todo humo inhalado penetra en el flujo sanguíneo del bebé y, entre otras cosas, puede detener su crecimiento, hacer que su corazón lata demasiado rápido y aumentar el riesgo de complicaciones en el parto. Los investigadores creen que fumar puede causar parto prematuro, así como infecciones auditivas y pulmonares que originan problemas respiratorios en el primer año de vida del niño. También los bebés nacidos de madres que han fumado durante el embarazo son más propensos a morir de Síndrome de Muerte Súbita del Lactante (SMSL) que los bebés nacidos de madres no fumadoras. Dejar de fumar no es fácil, sobre todo porque los productos sustitutivos de la nicotina como los parches y los chicles no suelen recomendarse durante el embarazo. Si te resulta difícil dejar de fumar, tu médico podrá aconsejarte o ponerte en contacto con organizaciones que pueden ayudarte. Ser fumadora pasiva pone en riesgo al bebé ya que reduce la cantidad de oxígeno que le llega por medio de tu flujo sanguíneo, así que mantente alejada de los lugares cargados de humo. Si vives con fumadores, pídeles que fumen fuera de casa y evita el contacto cercano con ellos cuando acaban de fumar un cigarrillo.

95

El parto por cesárea

Si te han dicho que necesitarás someterte a una cesárea antes de que se desencadene el parto tendrás mucho tiempo para informarte sobre la operación. Es probable que estés despierta y que tu pareja pueda asistir, de manera que ambos veréis a tu bebé tan pronto como nazca. Si la operación se realiza de urgencia, es posible que te inyecten una anestesia general, en cuyo caso tu pareja no podrá entrar en el paritorio. Infórmate sobre las cesáreas en las clases de preparación al parto para prepararte ante esta posibilidad, aunque no sea probable que suceda, pues estar prevenida te ayudará a asimilar la decepción que puedes sentir si se hace necesario practicar una cesárea.

96

La segunda vez

Si este es tu segundo hijo, recordarás muchas cosas de tu primer embarazo y parto y sin duda tendrás una opinión firme sobre cómo quieres que sean las cosas esta vez. Ser una "veterana" además te da la confianza para decir tu opinión a tus médicos. Sin embargo, puede que te preocupe cómo te vas a sentir con este bebé y te preguntarás si será posible quererlo tanto como quieres al niño que ya tienes, aunque puedes hallar consuelo en el hecho de que, al margen de lo fuertes que sean tus sentimientos por tu primer hijo, sentirás lo mismo por el segundo.

Conoce tus derechos

Cuando estás embarazada tienes derecho a una serie de beneficios, pero deberás solicitar algunos de ellos en determinados momentos del embarazo. Averigua de antemano qué derechos tienes por maternidad para no perder ninguno. Si trabajas, tienes derecho a la baja por maternidad y su duración dependerá de tu salud y de si has tenido un parto vaginal o por cesárea. Algunos empresarios ofrecen más baja que otros, aunque tu departamento de recursos humanos será quien te informe. Además puedes solicitar al gobierno que te indique los beneficios a los que puedes optar. También tus médicos te darán folletos informativos.

98

El cuidado del niño

Aunque puede que aún falte mucho tiempo, es buen momento para considerar las opciones que tienes con vistas a tu vuelta al trabajo, pues pensándolo de antemano podrás tomar una decisión inteligente cuando llegue el momento. Averigua qué opciones tienes disponibles y compara sus precios con tu salario.

También puedes hablar con otras madres sobre su decisión y saber cómo se organizan. Visita las guarderías que estás barajando lo antes posible, pues algunas tienen largas listas de espera, por lo que lo mejor es apuntarse pronto y pedir que te borren de ella si cambias de opinión sobre volver a trabajar tras el parto.

99

Haz tu testamento

Muchas parejas prefieren no pensar en hacer su testamento porque creen que en cierto modo esto trae mala suerte, pero como padres sois responsables del cuidado y el bienestar de otro ser humano, y al hacer vuestro testamento estaréis dando un gran paso por la salvaguarda del futuro de vuestro hijo. Un testamento te confiere el control sobre lo que sucederá con tus posesiones pero, lo que es más importante, significa que puedes nombrar a los tutores legales de tu hijo, las personas que se harán responsables de su bienestar si cualquier cosa os ocurriera a ti y a tu pareja. Muchos abogados ofrecen un servicio de testamentaría, pero averigua el coste de algunos de ellos antes de comprometerte.

100

Cambios financieros

La inminente llegada de un nuevo bebé significará un gasto adicional, aparte de unos ingresos menores si tú o tu pareja estáis pensando en dejar de trabajar, y aunque planifiques comenzar a trabajar nada más nacer el niño, en ocasiones los asuntos de salud escapan a tu control, lo que puede significar que tengas que dejar tu trabajo pronto. Éste es un buen momento para que os sentéis y elaboréis un presupuesto. Un asesor cualificado os ayudará con vuestros asuntos financieros actuales y con los planes de futuro de vuestro bebé.